Garfield

ALBUM GARFIELD #32

PRESSES AVENTURE

Publié par **Presses Aventure,** une division de
Les Publications Modus Vivendi inc.
55, rue Jean-Talon Ouest, 2e étage
Montréal (Québec)
Canada
H2R 2W8

Infographie : Modus Vivendi
Version française : Marc Alain

Dépôt légal – Bibliothèque et Archives nationales du Québec, 2008
Dépôt légal – Bibliothèque et Archives Canada, 2008

ISBN-13 : 978-2-89543-759-8

Nous reconnaissons le soutien financier du gouvernement du Canada par l'entremise du Programme d'aide au développement de l'industrie de l'édition (PADIÉ) pour nos activités d'édition.

Gouvernement du Québec – Programme de crédit d'impôt pour l'édition de livres – Gestion SODEC

GARFIELD®

PUNT!

BOING!
BOING!
BOING!
BOING!

CRASH!
© 1981 PAWS, INC. All Rights Reserved.
JIM DAVIS

JE T'ADORE QUAND TU ES VILAIN
6·14

ATTRAPE, MON GARS
JIM DAVIS

6-8

OBÉISSANT... PAS TRÈS BRILLANT, MAIS OBÉISSANT
© 1981 PAWS, INC. All Rights Reserved.

6-9
JIM DAVIS

OH, GARFIELD
© 1981 PAWS, INC. All Rights Reserved.

BAP!
6-10
JIM DAVIS

WOINNG

WOINNG
© 1981 PAWS, INC. All Rights Reserved.

GARFIELD
JIM DAVIS
6-11

BARK!
GARFIELD

CES ANIMAUX!
GARFIELD

BOP!
6-12
JIM DAVIS

WHANGO

PERSONNE NE PEUT S'ACHARNER SUR ODIE, SAUF MOI

SAIS-TU CE QUE JE DÉTESTE DES CHIENS?
JIM DAVIS
6-13

LES CHIENS SONT SI... SI...

AFFECTUEUX

GARFIELD®

JE M'ENNUIE
6-21

M'ENNUIE, M'ENNUIE M'ENNUIE

IL DOIT Y AVOIR MIEUX À FAIRE AVEC UNE MOUSTIQUAIRE QUE DE SIMPLEMENT S'Y ACCROCHER
JIM DAVIS

© 1981 PAWS, INC. All Rights Reserved.

LA BELLE AFFAIRE, IDIOT

C'EST LUNDI, IL NE M'ARRIVE JAMAIS RIEN DE BON LE LUNDI
6-15
JIM DAVIS

ALORS JE RESTERAI TOUTE LA JOURNÉE AU MILIEU DE CETTE CLAIRIÈRE, OÙ RIEN NE PEUT ME TOUCHER

© 1981 PAWS, INC. All Rights Reserved.
SPOING!

CLAIRE, MON CHOU! QUE DIRAIS-TU DE SORTIR CE SOIR POUR FAIRE LA NOCE?
JIM DAVIS
6-16

OUAIS, PEUT-ÊTRE UNE AUTRE FOIS?

QUI POURRAIS-JE APPELER MAINTENANT?
ESSAYE LES PLOUCS ANONYMES
© 1981 PAWS, INC. All Rights Reserved.

ALLÔÔÔ, MARIE. DIS DONC MA JOLIE, OÙ ÉTAIS-TU PASSÉE TOUTE MA VIE?
JIM DAVIS
6-17

JE VOIS... TU HABITAIS RUE PRINCIPALE JUSQU'À CE QUE TU VIVES EN COUPLE, PUIS VOUS AVEZ DÉMÉNAGÉ LÀ OÙ VOUS RÉSIDEZ PRÉSENTEMENT

VAIS-JE LA PRIER DE SORTIR AVEC MOI, GARFIELD?
JE CROIS QUE C'EST UNE CAUSE DÉSESPÉRÉE
© 1981 PAWS, INC. All Rights Reserved.

IL ÉTAIT PLUS DANGEREUX DE S'ACCROCHER AUX MOUSTIQUAIRES AUTREFOIS, QUAND LES GENS LANÇAIENT ENCORE LEUR EAU DE VAISSELLE DEHORS
JIM DAVIS
6-18

GOOSH

LES VIEILLES HABITUDES SONT TENACES
© 1981 PAWS, INC. All Rights Reserved.

JE LES ENTENDS CHUCHOTER DANS MON DOS EN CE MOMENT
6-19
JIM DAVIS

ILS SE CACHENT POUR MIEUX ME SURPRENDRE

BON ANNIVERSAIRE, GARFIELD!
QUELLE MAGNIFIQUE SURPRISE!
© 1981 PAWS, INC. All Rights Reserved.

JIM DAVIS

GARFIELD! EST-CE QUE ÇA VA? PARLE-MOI!
JE NE TE PARLE PLUS
6-20
© 1981 PAWS, INC. All Rights Reserved.

GARFIELD

ASSIS

RETOURNE-TOI, ODIE

PARLE
OUAH
6-28
JIM DAVIS

FAIS LE MORT

FAIS LE BEAU

OÙ EST PASSÉE TA FIERTÉ ?!
© 1981 PAWS, INC. All Rights Reserved.

VOILÀ, GARFIELD, UNE LAISSE EN RÉSINE VÉRITABLE
6-22
JIM DAVIS

C'EST TROP HUMAIN! TROP CRUEL!

SAIS-TU COMBIEN ON A TUÉ DE RÉSINES POUR FABRIQUER CETTE LAISSE?
© 1981 PAWS, INC. All Rights Reserved.

JIM DAVIS
6-23

ROWRR!!
© 1981 PAWS, INC. All Rights Reserved.

HOP
HOP

OÙ VAS-TU JON?
J'ENTRAÎNE GARFIELD À LA LAISSE
JIM DAVIS
6-24

IL N'APPRÉCIE PAS BEAUCOUP, N'EST-CE PAS?

COMMENT AS-TU DEVINÉ?
© 1981 PAWS, INC. All Rights Reserved.

JIM DAVIS
6·25

© 1981 PAWS, INC. All Rights Reserved.

TU ATTENDS ICI PENDANT QUE JE VAIS AU SUPERMARCHÉ
JIM DAVIS

LA LAISSE EST LA PLUS BELLE INVENTION DEPUIS LE FIL À COUPER LE BEURRE
© 1981 PAWS, INC. All Rights Reserved.

EN PASSANT, N'OUBLIE PAS LA LASAGNE SURGELÉE

TU SAIS, GARFIELD, JE COMMENCE À COMPRENDRE QUE LES LAISSES NE SONT PAS FAITES POUR LES CHATS
JIM DAVIS
6·27

TU COMMENCES À AVOIR DE L'INTUITION

ENSUITE, IL COMPRENDRA QUE LES ICEBERGS N'ÉTAIENT PAS FAITS POUR LE TITANIC
© 1981 PAWS, INC. All Rights Reserved.

GARFIELD

POISSONERIE

POISSONERIE
JIM DAVIS

OH BERK!

POURQUOI AS-TU APPORTÉ CE POISSON?

SMACK!
BONK!

QUAND UN CHAT T'APPORTE UN OBJET MORT ET PUANT, C'EST UN GAGE D'AMOUR, IDIOT

JE DÉTESTE LA PLUIE
© 1981 PAWS, INC. All Rights Reserved.
6-29
JE SUIS SI DÉPRIMÉ
JIM DAVIS

LE BONHEUR EST UN AMI QUI SE POINTE SEULE-MENT QUAND IL FAIT BEAU

6-30
JIM DAVIS
© 1981 PAWS, INC. All Rights Reserved.

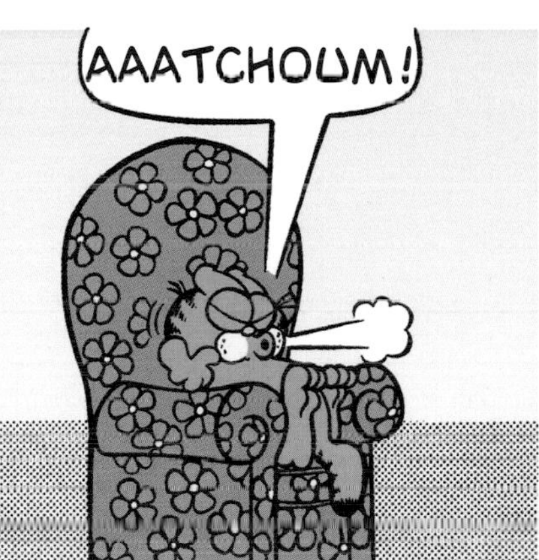
AAATCHOUM!

IMPRIMÉ FLORAL

7-1
JIM DAVIS

AAATCHOUM!

SNIFF
© 1981 PAWS, INC. All Rights Reserved.

Cher garfield, les poils de chat partout dans la maison m'embarassent quand j'ai des invités. Que faire ? Henriette
7-2
JIM DAVIS

FACILE

N'INVITEZ JAMAIS PERSONNE CHEZ VOUS
© 1981 PAWS, INC. All Rights Reserved.

J'AIME LES REBORDS DE FENÊTRE ENSOLEILLÉES
JIM DAVIS

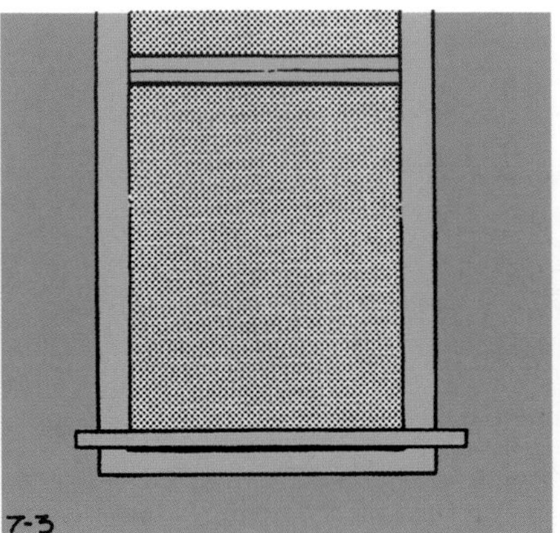
7-3

ET JE DÉTESTE LES FENÊTRES OUVERTES
© 1981 PAWS, INC. All Rights Reserved.

JIM DAVIS
7-4

NE T'APPROCHE PAS DES CHAISES BERÇANTES
CONSEIL JUDICIEUX
© 1981 PAWS, INC. All Rights Reserved.

GARFIELD®

ENFIN,
LE VOICI

CE BURGER DE
CAOUTCHOUC DEVRAIT
NOUS PROCURER
QUELQUES FOUS RIRES
7-12
JIM DAVIS

CHOMP!

SPROING!
© 1981 PAWS, INC. All Rights Reserved.

HI HI
HI
GRR!

HA! HA! HA!
GRRRR

ÇA VALAIT
LE COUP

VOICI UNE LEÇON SUR L'ORDRE NATUREL DES CHOSES
JIM DAVIS

LES CHATS SE SERVENT DE LEURS GRIFFES POUR GRIMPER AUX ARBRES

ET DES POMPIERS POUR EN REDESCENDRE
7-6
© 1981 PAWS, INC. All Rights Reserved.

QUE FAIT GARFIELD LE CHAT LORSQU'IL NE PEUT REDESCENDRE D'UN ARBRE?
JIM DAVIS
7-7

EH BIEN, CE QUE TOUT CHAT HONORABLE FAIT DANS CES CIRCONSTANCES

WAHHH!
© 1981 PAWS, INC. All Rights Reserved.

JE DESCENDS DE CET ARBRE
JIM DAVIS
7-8

BOING!

C'ÉTAIT COMPTER SANS MA NATURE ÉLASTIQUE
© 1981 PAWS, INC. All Rights Reserved.

PAUVRE MOI... PRIS DANS UN ARBRE
JIM DAVIS
7-9

JE SUPPOSE QUE ÇA POURRAIT ÊTRE PIRE
© 1981 PAWS, INC. All Rights Reserved.

POURQUOI JE RESTE TOUJOURS PRIS DANS LES ARBRES?
7-10
JIM DAVIS

CE DOIT ÊTRE LE CHAT EN MOI
© 1981 PAWS, INC. All Rights Reserved.

FORT JUSTE

VIENS ICI, MINOU
GRRR!
7-11
JIM DAVIS

GRRR FFT!

© 1981 PAWS, INC. All Rights Reserved.
VOILÀ, MINOU
KISS
BISOU MERCI

GARFIELD®

JE VAIS T'APPRENDRE À CONDUIRE, GARFIELD

QUAND TU ES AUSSI BON CONDUCTEUR QUE MOI, TU CONDUIS DÉFENSIVEMENT
7-19

TU REGARDES DES DEUX CÔTÉS À UNE INTERSECTION
JIM DAVIS
© 1981 PAWS, INC. All Rights Reserved.

PUIS TU ROULES PRUDEMMENT

TUT-TUT! SCRIIIII!

ESPÈCE D'IDIOT, GARFIELD
J'AIME TANT RIGOLER

JIM DAVIS
© 1981 PAWS, INC. All Rights Reserved.

7-13

TU AURAIS PU ME DEMANDER DE TE PASSER LE SEL
LES CHATS NE DEMANDENT PAS, LES CHATS PRENNENT
GARFIELD

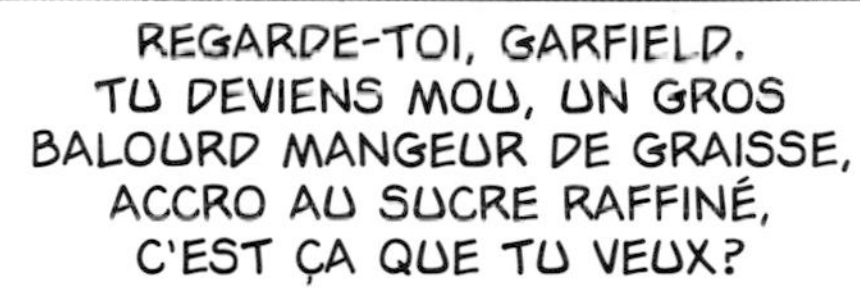
REGARDE-TOI, GARFIELD. TU DEVIENS MOU, UN GROS BALOURD MANGEUR DE GRAISSE, ACCRO AU SUCRE RAFFINÉ, C'EST ÇA QUE TU VEUX?

JIM DAVIS

OUI!
7-14

BON JE M'EXPRIME AUTREMENT...
© 1981 PAWS, INC. All Rights Reserved.

IL Y EN A QUI DISENT QUE JE SUIS GROS
JIM DAVIS

ET APRÈS, J'AIME MANGER
7-15

J'AIME AUSSI ME DANDINER ET SUER
© 1981 PAWS, INC. All Rights Reserved.

JIM DAVIS

BASH!
© 1981 PAWS, INC. All Rights Reserved.
7-16

BONJOUR, GROS LARD
JE SUIS SEULEMENT SORTI DU LIT D'UN BOND

C'EST MAUVAIS POUR LA SANTÉ D'UN CHAT D'ÊTRE GROS COMME TU L'ES GARFIELD
JIM DAVIS
7-17

VOIS-TU, TU POURRAIS ÊTRE MALADE DU CŒUR, AVOIR LE DOS VOÛTÉ...

TE FAIRE HARPONNER
TU N'AS PAS PU EMPÊCHER HEIN?
© 1981 PAWS, INC. All Rights Reserved.

7-18
JIM DAVIS

CRASH

© 1981 PAWS, INC. All Rights Reserved.
IL FAUDRAIT PEUT-ÊTRE QUE JE ME METTE AU RÉGIME

GARFIELD®

7-26

TU DONNES UN PETIT CONCERT SUR LA VIEILLE CLÔTURE CE SOIR?
JE VIS POUR LA MUSIQUE
JIM DAVIS
© 1981 PAWS, INC. All Rights Reserved.

JE CROIS QUE TU MANGES TROP DE SEL, GARFIELD. JE VAIS ÉLIMINER LE SEL DE TON ALIMENTATION
JIM DAVIS

S'IL LE FAUT
© 1981 PAWS, INC. All Rights Reserved.
7-20

MAIS MON BLOC DE SEL VA ME MANQUER
GARFIELD

JE TE METS AU RÉGIME, GARFIELD
OH, NON!
JIM DAVIS
7-21

IL EST POSSIBLE QUE JE DOIVE RECOURIR À DES MESURES D'URGENCE EXTRÊMES

COMME CHASSER LES SOURIS
© 1981 PAWS, INC. All Rights Reserved.

JE VAIS TE METTRE AU RÉGIME GRADUELLEMENT, GARFIELD
JIM DAVIS
7-22

POUR LE RESTE DE LA SEMAINE, TU N'AURAS PAS DE DESSERT
PARFAIT

SALUUUT, PLAT PRINCIPAL
© 1981 PAWS, INC. All Rights Reserved.

SALUT, CRÈME GLACÉE. SALUT, HAMBURGER. SALUT, LASAGNE
7-23
JIM DAVIS

ELOIGNE-TOI DU FRIGO, GARFIELD. TU ES AU RÉGIME

QUE FAISAIS-TU?
J'ÉTAIS VENU VOIR DE VIEUX COPAINS
© 1981 PAWS, INC. All Rights Reserved.

JE SUIS ENCORE AU RÉGIME. C'EST NUL
JIM DAVIS
7-24

BIENTÔT, UNE PARTIE DE MOI NE SERA PLUS ICI

ELLE VA ME MANQUER
© 1981 PAWS, INC. All Rights Reserved.

7-25
JIM DAVIS

TU ES DANS LA PHASE AUCUNE-VOLONTÉ-DE-RESTER-EN-VIE DE TON RÉGIME, HEIN?
LAISSE-MOI MOURIR EN PAIX
© 1981 PAWS, INC. All Rights Reserved.

GARFIELD®

GARFIELD. LASAGNE!
© 1981 PAWS, INC. All Rights Reserved.

JIM DAVIS

J'AI CIRÉ LA TABLE AUJOURD'HUI
DÈS QUE MES OS SE SERONT RESSOUDÉS, TU ES UN HOMME MORT
8-2

BON, QU'EST-CE QUE C'EST?
JIM DAVIS

© 1981 PAWS, INC. All Rights Reserved.

JE HAIS LES LUNDIS
7-27

GARFIELD, GARFIELD, GARFIELD. TU AS MANGÉ MA FOUGÈRE
JE SUIS MAUVAIS GARNEMENT
JIM DAVIS

IL VA FALLOIR QUE J'AILLE EN ACHETER UNE AUTRE

© 1981 PAWS, INC. All Rights Reserved.
J'ESPÈRE QU'ELLE AURA MEILLEUR GOÛT QUE CELLE-CI
7-28

JIM DAVIS
7-29
© 1981 PAWS, INC. All Rights Reserved.

MMMPH

BONJOUR, GARFIELD
7-30
JIM DAVIS

TU NE DOIS PAS ME PARLER SI TÔT

CERTAINES PERSONNES N'ONT AUCUN RESPECT POUR LES LÈVE-LENTEMENT
© 1981 PAWS, INC. All Rights Reserved.

JIM DAVIS
7-31

TU ES ENCORE ALLÉ DANS MES PLATES-BANDES, GARFIELD
COMMENT AS-TU DEVINÉ?
© 1981 PAWS, INC. All Rights Reserved.

SAIS-TU DE QUOI CE PAYS A BESOIN?
DE PLUS DE FOURRIÈRES À CHIENS
8-1
JIM DAVIS

DE MINES ANTICHIENS AUTOUR DES BORNES-FONTAINES! D'UNE SAISON POUR LA CHASSE AUX CHIENS! DE PIÈGES À CHIENS!

CALME-TOI, GARFIELD. SINON TU VAS EXPLOSER
SANS BLAGUE, ON ÉCONOMISERAIT DES MILLIONS UNIQUEMENT EN FRAIS DE NETTOYAGE DE TAPIS
© 1981 PAWS, INC. All Rights Reserved.

GARFIELD®

LES AMIS
© 1981 PAWS, INC. All Rights Reserved.

VOILÀ!
JIM DAVIS 8-9

LASAGNE?
JE PASSE
NON
JE SUIS AU RÉGIME
JE VAIS ATTENDRE LE DESSERT
J'AI DÉJÀ MANGÉ

JIM DAVIS

QUAND TU TROUVES DES REQUINS DANS TON BOL D'EAU, TU SAIS QUE C'EST LUNDI
GARFIELD
© 1981 PAWS, INC. All Rights Reserved.
8-3

J'AI ENVIE D'UNE BONNE BATAILLE, MAIS JE SUIS PERSONNELLEMENT OPPOSÉ À TOUTE VIOLENCE GRATUITE
JIM DAVIS

PUNT!

VOILÀ, PARCE QUE TU N'ES PAS UN CHAT
8-4
© 1981 PAWS, INC. All Rights Reserved.

HÉ, REGARDE, GARFIELD. VOICI MON IMITATION D'UNE BOULE DE BOWLING
JIM DAVIS
8-5

SHOOP!

C'ÉTAIT MON IMITATION D'UN ASPIRATEUR
© 1981 PAWS, INC. All Rights Reserved.

J'AI ENVIE D'UNE BONNE GROSSE BATAILLE AUJOURD'HUI
JIM DAVIS
8-6

MAINTENANT J'AI ENVIE DE ME TAPIR QUELQUE PART POUR GÉMIR UN MOMENT
© 1981 PAWS, INC. All Rights Reserved.

QUE VEUX-TU FAIRE CE SOIR, GARFIELD? ALLER COURIR? ALLER AU CINÉMA? JOUER AU MINI-PUTT
8-7
JIM DAVIS

OU PRÉFÈRES-TU ALLER SOUPER?

NATUREL-LEMENT
© 1981 PAWS, INC. All Rights Reserved.

EMMENEZ-VOUS VOTRE CHAT PARTOUT?
8-8
JIM DAVIS

OUI, NOUS FAISONS TOUT ENSEMBLE, MA CHÈRE

SAUF DU BARATIN AUX SERVEUSES MOCHES
© 1981 PAWS, INC. All Rights Reserved.

GARFIELD®

PAT
PAT
PAT
JIM DAVIS

© 1981 PAWS, INC. All Rights Reserved.

POOMP!

IL AURAIT FALLU QUE JE LA MANGE POUR SAUVER LA FACE
8-16

SOUPIR...

MMMMMM!

MERCI!
PAS DE QUOI!
JIM DAVIS 3-8

TU AS BIEN MANGÉ, GARFIELD?
TRÈS BIEN, MERCI!
GARFIELD

ET TOI, POOKY? BIEN BOURRÉ?
GARFIELD

JE NE M'ABAISSERAI PAS À SOURIRE!
JIM DAVIS 3-9
GARFIELD

Voilà qui met fin à cette émission!

Voici un reportage sur l'ours...
JIM DAVIS 3-10

Est-il l'ami de l'homme ou un tueur sans pitié?

NE MANGES PAS CES BEIGNES! TU ES AU RÉGIME!
JIM DAVIS

JE NE LES MANGERAI PAS, JE LE JURE!

MAIS NE M'EMPÊCHE PAS DE M'EN FRICTIONNER TOUT LE CORPS!
2·24

AAARGHH
JIM DAVIS 2·25

ALORS, CE RÉGIME, ÇA FONCTIONNE?
DISONS QUE CE N'EST PAS DEMAIN QUE JE PORTERAI UN SLIP ÉCHANCRÉ À LA PLAGE!

GARFIELD ÉTAIT D'HUMEUR MAUSSADE, CE MATIN
JIM DAVIS 2·27

JE LUI AI CONSEILLÉ DE PRENDRE L'AIR...

CE QUI SEMBLE LUI AVOIR RÉUSSI!
J'AI ÉTRIPÉ TROIS ÉCUREUILS...

GARFIELD

JIM DAVIS 2-26

MAINS EN L'AIR!

HA! HA! HA!
HA! HA!
HI! HI! HI!

HO HA HA HA
HO HO HOOOO!
HA HA HA
HA HA
PAF
PAF

HI HI HI HI...
HO... HO...
HI HI

HI!

GARFIELD!

JE ME DEMANDE OÙ J'IRAI EN VACANCES
8-10
JIM DAVIS

PEUT-ÊTRE EN FRANCE, OU EN ESPAGNE...

OU AU MEXIQUE
© 1981 PAWS, INC. All Rights Reserved.

GARFIELD, J'AI DÉCIDÉ DE PRENDRE DES VACANCES
SUPER! ON PART QUAND?
JIM DAVIS

JE CROIS QUE TU N'AS PAS COMPRIS. J'AI DIT « JE », PAS « NOUS »
8-11

JE CROIS QUE TU AS COMPRIS
DIS-MOI QUE TU BLAGUES
© 1981 PAWS, INC. All Rights Reserved.

JE NE PEUX PAS CROIRE QUE JON NE M'EMMÈNE PAS EN VACANCES
8-12
JIM DAVIS

LES CHATS ONT BESOIN DE VACANCES AUSSI

MANGER ET DORMIR AINSI, ÇA ÉPUISE SON HOMME
© 1981 PAWS, INC. All Rights Reserved.

TANTE GERTIE, PRENDRAIS-TU SOIN DE MON CHAT PENDANT MES VACANCES?... GÉNIAL!
JIM DAVIS

TU CONNAIS TANTE GERTIE, GARFIELD. C'EST UNE GENTILLE VIEILLE DAME
8-13

COMMENT PEUX-TU DIRE ÇA DE QUELQU'UN QUI FRÉQUENTAIT LIZZIE L'ÉVENTREUSE?
© 1981 PAWS, INC. All Rights Reserved.

GARFIELD, VOICI TANTE GERTIE
JIM DAVIS
8-14

JE SUIS ENCHANTÉE DE TE CONNAÎTRE

ET JE SUIS ENCHANTÉE D'EN DOUTER
© 1981 PAWS, INC. All Rights Reserved.

PRENDS BIEN SOIN DE GARFIELD PENDANT MON ABSENCE
JIM DAVIS

ET GARDE-LE BIEN À L'ŒIL, IL FAIT DES TAS DE BÊTISES
8-15

AMUSE-TOI BIEN, GARFIELD
GARFIELD?
© 1981 PAWS, INC. All Rights Reserved.

GARFIELD®

HÉ, GARFIELD, DEVINE QUOI

IL Y AURA UNE FÊTE D'ANNIVERSAIRE POUR LE CHIEN D'À CÔTÉ AUJOURD'HUI

CETTE BRIQUE DEVRAIT FAIRE UN CADEAU ÉPATANT

BONK
YIP!

YIP!
JOYEUX ANNIVER-SAIRE, CHIEN

8-23

ALLÔ DOCTEUR? EST-CE POSSIBLE, CHIRURGICALEMENT, D'EXTRAIRE MON CHAT D'UN CHIEN?
JIM DAVIS

ÇA DONNE SOIF DE VOYAGER CLANDES-TINEMENT DANS LA VALISE DE JON
© 1981 PAWS, INC. All Rights Reserved.

GLUCK
GLUCK
GLUCK
JIM DAVIS 8-17

MÊME LA LOTION APRÈS RASAGE GOÛTE BON QUAND TU AS ASSEZ SOIF

ATTENTION, PLAGES ENSOLEILLÉES
8-18
© 1981 PAWS, INC. All Rights Reserved.

VOICI DON JUAN
JIM DAVIS

ET SON ACOLYTE, LAURENCE DES CULOTTES COURTES

JE N'ARRIVE PAS À CROIRE QUE TU AS VOYAGÉ DANS MA VALISE, GARFIELD
8-19
JIM DAVIS

JE PARIE QUE TU NE SAIS MÊME PAS OÙ NOUS SOMMES

UN PIÈGE À TOURISTES SERAIT UNE BONNE HYPOTHÈSE
© 1981 PAWS, INC. All Rights Reserved.

C'EST LE PROBLÈME AVEC LES LIEUX DE VILLÉGIATURE
8-20
JIM DAVIS

CE HAMBURGER EST INFECT!

A QUOI VOUS ATTENDIEZ-VOUS POUR CE PRIX-LÀ?
© 1981 PAWS, INC. All Rights Reserved.

C'EST LA BELLE VIE, GARFIELD
8-21
JIM DAVIS

TU SAIS QUE TU ES EN VACANCES QUAND TU VOIS LES FILLES EN BIKINI ET LES HIBISCUS EN FLEURS AUTOUR DE LA PISCINE...

ET LES « CUCARACHAS » DANS LE TIROIR À CHAUSSETTES
© 1981 PAWS, INC. All Rights Reserved.

PARDON... JE CROIS QUE J'AI LAISSÉ TOMBER MON PRIX NOBEL DE LA PAIX PAR ICI
FAIS DE L'AIR LE CRABE
JIM DAVIS
© 1981 PAWS, INC. All Rights Reserved.

8-22

GARFIELD®

BONJOUR, GARFIELD

© 1981 PAWS, INC. All Rights Reserved.

SLUP
8-30

♪ BONJOUR ♫
JIM DAVIS

HÉ, GARFIELD. IL VA Y AVOIR DES AUDITIONS POUR UNE PUBLICITÉ DE NOURRITURE POUR CHATS
8-24
JIM DAVIS

EST-CE QUE ÇA T'INTÉRESSE?

DEMANDE À MON AGENT DE JETER UN ŒIL SUR LE SCÉNARIO
© 1981 PAWS, INC. All Rights Reserved.

POUR AVOIR LE RÔLE, IL FAUDRA QUE TU SOIS UN MANGEUR CONVAINQUANT
JIM DAVIS
8-25

T'EN SENS-TU CAPABLE?
TU BLAGUES?

QUAND IL S'AGIT DE MANGER, JE SUIS UN GÉNIE
© 1981 PAWS, INC. All Rights Reserved.

IMAGINEZ, SI JE FAIS UNE PUBLICITÉ DE NOURRITURE POUR CHATS
8-26
JIM DAVIS

SUIVRONT LES OFFRES DE CINÉMA, LES FANS EN DÉLIRE, LES LIMOUSINES...

CHER VENTRE, NOUS IRONS LOIN TOI ET MOI
© 1981 PAWS, INC. All Rights Reserved.

EST-CE ICI QU MON CHAT DOIT PASSER L'AUDITION POUR LA PUBLICITÉ DE NOURRITURE POUR CHATS?
OUAIS
8-27
JIM DAVIS

HÉ, LARRY. SORS TON GRAND-ANGLE

SI JE N'AI PAS LE RÔLE, JE LUI ENFONCE SES VERRES FUMÉS DANS LA NARINE DROITE
© 1981 PAWS, INC. All Rights Reserved.

O.K., PUBLICITÉ DE NOURRITURE POUR CHATS. AUDITION, PRISE UN, ACTION!
CETTE NOURRITURE SEMBLE INFECTE
JIM DAVIS
8-28

COUPEZ!

TU ES CENSÉ MANGER ÇA, MINOU
ET MA MOTIVATION, QUELLE EST-ELLE?
© 1981 PAWS, INC. All Rights Reserved.

O.K., PUBLICITÉ DE NOURRITURE POUR CHATS. AUDITION, PRISE DEUX, ACTION!
JIM DAVIS

BERK!
© 1981 PAWS, INC. All Rights Reserved.
8-29

MMPH GRP BROUF
QUE DIT LE RÉALISATEUR GARFIELD?
TRADUCTION LIBRE : JE NE FAIS PAS L'AFFAIRE

GARFIELD®

UN STEAK FRITES ET UN GRAND COLA
MENU

ET POUR MON CHAT, UNE LASAGNE
MENU

CLAC

DOUBLE S'IL VOUS PLAÎT

BING

OU PEUT-ÊTRE TRIPLE

SPLASH

OUBLIEZ ÇA. DONNEZ-LUI LA CASSEROLE AU COMPLET
ET QUE ÇA SAUTE
9-6
JIM DAVIS

EH BIEN, SI CE N'EST PAS NERMAL, LA SHIRLEY TEMPLE DE LA GENT FÉLINE
JIM DAVIS
8-31

COMMENT ÇA VA , NERMAL?
OH, À PEU PRÈS TOUJOURS LA MÊME CHOSE. ON M'ADORE EXAGÉRÉMENT, COMME D'HABITUDE

© 1981 PAWS, INC. All Rights Reserved.

SAVEZ-VOUS POURQUOI JE DÉTESTE NERMAL?
JIM DAVIS

CE N'EST PAS PARCE QU'IL EST SI JEUNE, PETIT ET MIGNON...
9-1

IL ME RAPPELLE À QUEL POINT JE SUIS VIEUX, GROS ET LAID
© 1981 PAWS, INC. All Rights Reserved.

9-2
JIM DAVIS

JE NE PEUX PAS ATTRAPER CETTE TARTE, NERMAL. SI ON FAISAIT ÉQUIPE?

© 1981 PAWS, INC. All Rights Reserved.

PEUT-ÊTRE SERAIS-JE AUSSI POPULAIRE QUE NERMAL SI J'APPRENAIS À DANSER
JIM DAVIS

9-3

JE CROIS QUE JE ME SUIS BRISÉ QUELQUE CHOSE
© 1981 PAWS, INC. All Rights Reserved.

C'EST À MOI!
GARFIELD
JIM DAVIS
9-4

GARFIELD
© 1981 PAWS, INC. All Rights Reserved.

C'EST À TOI
GARFIELD

DÉSOLÉ QUE TU DOIVES NOUS QUITTER SI VITE, NERMAL
MAIS, JE N'...
JIM DAVIS
9-5

BIEN SÛR, IL EST LE BIEN-VENU, JE VEUX SIMPLE-MENT ÉVITER QU'IL ABUSE DE MON HOSPITALITÉ
© 1981 PAWS, INC. All Rights Reserved.

GARFIELD®

JIM DAVIS 9-13

ZUT!
© 1981 PAWS, INC. All Rights Reserved.

JE L'AI ENCORE FAIT

M'Y REVOICI, CONDAMNÉ À MOURIR ENCORE. SI JE RESTE ICI, JE MOURRAI DE FAIM. SI JE SAUTE, JE ME CHANGERAI EN CRÊPE. J'ESPÈRE QUE QUELQU'UN VIENDRA À MA RESCOUSSE

ENCORE COINCÉ DANS L'ARBRE, GARFIELD?
AU SECOURS!

JIM DAVIS
9-7

FLAP

JE HAIS LES LUNDIS
© 1981 PAWS, INC. All Rights Reserved.

HII HII
JIM DAVIS
9-8

HA HA HA!

QUAND VOUS ÊTES BAS SUR PATTES, VOUS RISQUEZ D'ÊTRE CHATOUILLÉ EN MARCHANT DANS L'HERBE
© 1981 PAWS, INC. All Rights Reserved.

SALUT, ARBRE, SALUT, FLEURS
JIM DAVIS
9-9

SALUT, APTÉRYX

© 1981 PAWS, INC. All Rights Reserved.

C'EST AINSI, LES AMIS
JIM DAVIS
9-10

LA SCIENCE MÉDICALE A UN REMÈDE POUR À PEU PRÈS TOUT, SAUF POUR LES SIMPLES RHUMES...

ET LE REGARD FIXE DU MATIN
© 1981 PAWS, INC. All Rights Reserved.

SURPRISE, GARFIELD! JE T'AI ACHETÉ UN POTEAU À FAIRE LES GRIFFES
ÇA ALORS, MERCI
JIM DAVIS

9-11

SCRATCH SCRATCH SCRATCH
© 1981 PAWS, INC. All Rights Reserved.

BÂILLE
JIM DAVIS
9-12
© 1981 PAWS, INC. All Rights Reserved.

ARRRGH!

POURQUOI PORTES-TU MES LUNETTES DE LECTURE?
C'EST CE QUE J'AI TROUVÉ DE MIEUX POUR TE FAIRE PEUR, MON CHER

GARFIELD®

OUSTE, SOURIS. SORTEZ DE MES VITAMINES
9-20

LES SOURIS PÉNÈTRENT PARTOUT
© 1981 PAWS, INC. All Rights Reserved.
JIM DAVIS

QUELQU'UN DEVRAIT LES CHAS-SER HORS D'ICI

JE ME DEMANDE POURQUOI ELLES VOULAIENT DES VITAMINES

ÇA ME DÉPASSE

ZUT, J'AIMERAIS DORMIR TOUT L'AVANT-MIDI, MAIS J'AI FAIM AUSSI
GARFIELD
JIM DAVIS
9-14

GARFIELD

Z
GARFIELD

ATTRAPE LE JOURNAL, ODIE
JIM DAVIS
9-15

JIM DAVIS
9-16
HA HA HA!

QUELLE BONNE INTRIGUE! QUELS ACTEURS! SUPERBES PHOTOGRAPHIES!

J'ADORE LES PUBS

9-17
JIM DAVIS

TU N'ES PLUS UN CHATON, GARFIELD
© 1981 PAWS, INC. All Rights Reserved.

SI LES CHATS PEUVENT GRIMPER AUX ARBRES, NE POURRAIENT-ILS EN REDESCENDRE AUSSI VITE ?
© 1981 PAWS, INC. All Rights Reserved.
JIM DAVIS

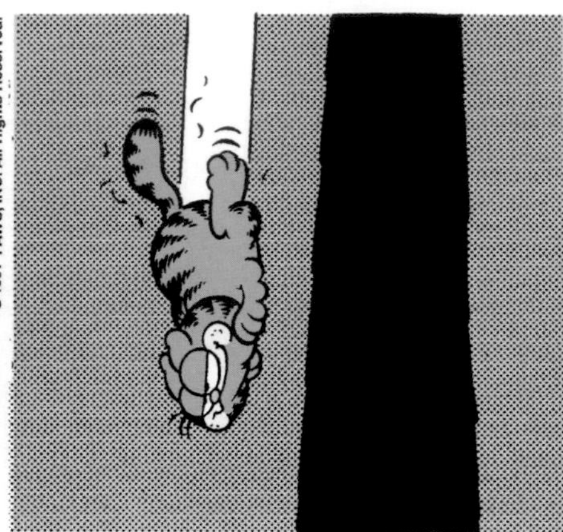

GARFIELD, TU ES TRÈS, TRÈS STUPIDE
9-18

UN ANIMAL DE COMPAGNIE EST IDÉAL POUR UN CÉLIBATAIRE. ON A UN COMPAGNON, SANS LE STRESS D'ÉLEVER UNE FAMILLE
JIM DAVIS
9-19

© 1981 PAWS, INC. All Rights Reserved.

ESSUIE-TOI LES PIEDS AVANT D'ENTRER DANS LA MAISON
O.K., PAPA

GARFIELD®

GRR!

HON, QU'EST-CE QUI NE VA PAS? GROS MINET A FAIT BOBO? JE VAIS BÉCOTER BOBO
JIM DAVIS
9·27

BISOU

VOILÀ. ÇA VA MIEUX

POUAH!
OÙ EST LE DÉSINFECTANT?
© 1981 PAWS, INC. All Rights Reserved.

TU SAIS QUOI, GARFIELD? NOUS RETOURNONS À LA FERME
9-21
JIM DAVIS

CE SERA BON DE RENOUER AVEC DAME NATURE
© 1981 PAWS, INC. All Rights Reserved.

QUAND TU LA VERRAS, SALUE-LA BIEN BAS POUR MOI

CE SERA BIEN DE REVOIR M'MA ET P'PA À LA FERME
9-22
JIM DAVIS

PEUT-ÊTRE QU'ON POURRAIT AIDER AUX CORVÉES, GARFIELD
PAS QUESTION
© 1981 PAWS, INC. All Rights Reserved.

J'AURAIS LE VERTIGE À FAIRE ALTERNER LES CULTURES

JE M'ENNUIE... ENNUIE, ENNUIE, ENNUIE, CE POURRAIT ÊTRE PIRE, JE SUPPOSE
9-23
JIM DAVIS
© 1981 PAWS, INC. All Rights Reserved.

SPLOOT

VOILÀ

C'EST BIEN MA CHANCE DE TOMBER DANS L'ENCLOS À COCHON
9-24
JIM DAVIS

RIEN N'EST MOINS ATTIRANT QU'UN CHAT BOUEUX
© 1981 PAWS, INC. All Rights Reserved.

SALUT MON MIGNON
OH LA FERME

COMMENT VOUS, LES COCHONS, POUVEZ VOUS VAUTRER DANS LA BOUE À LONGUEUR DE JOUR?
9-25
JIM DAVIS

LA BOUE ÉLOIGNE LES MOUCHES ET NOUS GARDE AU FRAIS
© 1981 PAWS, INC. All Rights Reserved.

ET SI NOUS EN SORTONS, LA BOUE SÈCHE INSTANTANÉ-MENT

C'EST LE TEMPS DE RENTRER, GARFIELD. JE VAIS CASSER CETTE BOUE POUR TE LIBÉRER
9-26

© 1981 PAWS, INC. All Rights Reserved
CRACK!

JIM DAVIS
MERCI ... JE PENSE

GARFIELD

DIAL
DIAL
DIAL

ALLÔ, GARAGE JOE? POUVEZ-VOUS VÉRIFIER MON VÉHICULE?

JE VAIS L'APPORTER POUR UN EXAMEN
MAIS C'EST DÉJÀ FAIT

IL A BESOIN D'UNE VIDANGE

D'UN AJUSTEMENT DES TUYAUX
© 1981 PAWS, INC. All Rights Reserved

IL FAUDRA REMPLACER LES PIÈCES USÉES

OH OUI, ET LE REMBOURRER
JIM DAVIS

GARFIELD
ABU DHABI
10-4

JE M'ENNUIE... ENNUIE, ENNUIE, ENNUIE. JE HAIS LES LUNDIS. JE HAIS LA ROUTINE
GARFIELD
JIM DAVIS
9-28

GARFIELD

RUMBA RUMBA GROGNE TAPE
ENCORE UNE DE CES SEMAINES
GARFIELD
© 1981 PAWS, INC. All Rights Reserved.

OÙ EST-IL ÉCRIT QUE JE DOIS ME COMPORTER COMME UN CHAT?
JIM DAVIS

POURQUOI PAS COMME UN ORIGNAL?
9-29

ARRÊTE TON CIRQUE, GARFIELD
FAIS GAFFE, MEC. J'AI ENCORNÉ DES TYPES POUR MOINS QUE ÇA
© 1981 PAWS, INC. All Rights Reserved.

SALUT. JE SUIS UN ROUGE-GORGE
9-30
JIM DAVIS

GARFIELD, TU ES TROP GRAND POUR TE COMPORTER AINSI
MAIS JE SUIS PETIT POUR UN CACHALOT
© 1981 PAWS, INC. All Rights Reserved.

JE CROIS QUE JE VAIS TE FAIRE VOIR PAR UN PSY-CHIATRE PROFESSIONNEL
VEUX-TU DIRE QU'IL Y A DES PSYCHIATRES AMATEURS?

DOCTEUR, JE CRAINS QUE MON CHAT NE FASSE UNE DÉPRESSION NERVEUSE
10-1
JIM DAVIS

Z

DÉPRESSION PEUT-ÊTRE... NERVEUSE, NON
Z
© 1981 PAWS, INC. All Rights Reserved.

J'AI EXAMINÉ VOTRE CHAT, M. ARBUCKLE...
JIM DAVIS
10-2

IL EST PARFAIT
SUPER!
© 1981 PAWS, INC. All Rights Reserved.

C'EST BON DE SAVOIR QUE TU ES NORMAL, GARFIELD
MES AMIS M'APPELLENT UNITÉ LUNAIRE

JE SUIS CONTENT QUE TU AIES PASSÉ TON EXAMEN PSYCHOLOGIQUE, GARFIELD. N'EST-CE PAS RASSURANT DE SAVOIR QUE TU ES NORMAL COMME TOUT LE MONDE?
JIM DAVIS

© 1981 PAWS, INC. All Rights Reserved.
10-3

POUET

GARFIELD®

TIENS, ATTRAPE, GARFIELD

JIM DAVIS

BON CHAT!
© 1981 PAWS, INC. All Rights Reserved.

JE CROIS QUE J'ENTENDS LE LIVREUR DE JOURNAUX

MAINTENANT JE VAIS ATTRAPER LE JOURNAL DU MATIN

STUPIDE ÉDITION DU WEEK-END

JE HAIS LES LUNDIS.. ILS ANNONCENT UNE LONGUE SEMAINE DE CORVÉES MÉNAGÈRES INTERMINABLES
JIM DAVIS
10-5

ET JE N'AI MÊME PAS D'EMPLOI

JE NE SUIS QU'UN CAMÉLÉON SOCIAL
© 1981 PAWS, INC. All Rights Reserved.

VOICI VENIR ARLÈNE. UN REGARD DE CES YEUX PLEINS DE ROSÉE ET J'AI LES JAMBES EN COTON. J'IRAIS AU BOUT DU MONDE POUR ELLE
10-6
JIM DAVIS

TOUCHE À MON OURSON, BEAUTÉ, ET TES FAUX CILS IRONT SE COLLER AU PLAFOND
© 1981 PAWS, INC. All Rights Reserved.

GARFIELD
JIM DAVIS
10-7

RRRRR
GARFIELD

JE CROYAIS QUE TU M'AVAIS INVITÉE À DÎNER
DIFFICILE DE PERDRE SES VIEILLES HABITUDES
GARFIELD
© 1981 PAWS, INC. All Rights Reserved.

J'AIME TES PETITES OREILLES POINTUES ET TES LÈVRES PULPEUSES ROUGES RUBIS
JIM DAVIS
10-8

ET JAIME ÉCOUTER LES NOTES MÉLODIEUSES DU VENT QUI SIFFLE DANS L'ESPACE ENTRE TES DENTS D'EN AVANT

TU Y VAS UN PEU FORT, GOUJAT
T'ES MIGNONNE QUAND T'ES EN COLÈRE
© 1981 PAWS, INC. All Rights Reserved.

TU SAIS ARLÈNE, JE NE CONNAIS QU'UN SEUL CHAT PLUS BEAU QUE TOI
JIM DAVIS

QUI EST-IL?
10-9

ELLE DEMANDE « QUI EST-IL? »
© 1981 PAWS, INC. All Rights Reserved.

ALLONS À LA CHASSE AUX SOURIS
TOI D'ABORD
JIM DAVIS
10-10

UN BAISER AVANT D'ALLER AU LIT?
PAS QUESTION

CES LÈVRES QUI ONT TOUCHÉ AUX SOURIS NE TOUCHERONT JAMAIS LES MIENNES
© 1981 PAWS, INC. All Rights Reserved.

GARFIELD®

VOUS SAVEZ, CERTAINS ALIMENTS SONT PLUS AMUSANTS QUE D'AUTRES
10-18
JIM DAVIS

LES BETTERAVES SONT AMUSANTES

LE FOIE... PAS DU TOUT

LES PRUNES LE SONT, LES POMMES DE TERRE, NON

LE POULET, ÇA C'EST AMUSANT
© 1981 PAWS, INC. All Rights Reserved.

QUE DIRAIS-TU DE CORNICHONS ET DE KUMQUATS POUR LE GOÛTER, GARFIELD?

HA HA HA!

JIM DAVIS
10-12

O.K., M. CHAT. TU M'AS ATTRAPÉ. VAS-Y, MANGE-MOI. FAIS FI DU FAIT QUE J'AI SEPT ENFANTS À LA MAISON

JE NE TE MANGERAI PAS. RENTRE CHEZ TOI
AUPRÈS DE MES SEPT PETITS MORVEUX? QUELLE SORTE DE MONSTRE ES-TU DONC?

JIM DAVIS 10-13
J'AI ENTENDU DIRE QUE LES SOURIS PROPAGENT SALETÉ ET MALADIES

CROIS-TU TOUT CE QUE TU ENTENDS?
OUI

J'AI ENTENDU DIRE QUE ÇA PORTE CHANCE DE FAIRE TOURNER UN CHAT MORT AU-DESSUS DE SA TÊTE À MINUIT UN SOIR DE PLEINE LUNE
TOUCHÉ

DIS-MOI, SOURIS. QUE FAIS-TU POUR GAGNER TA VIE?
10-14
JIM DAVIS

JE POSE POUR LES AFFICHES ANTI-VERMINE
UNE MIGNONNE SOURIS COMME TOI?

C'EST TRÈS BIEN

ÉCOUTE, CHAT. TU AS BESOIN D'UNE RAISON POUR QU'ON TE GARDE ICI, ET J'AI BESOIN DE NOURRITURE. JE VAIS ME MONTRER À TON PROPRIÉTAIRE, ET TU VAS ME CHASSER. TU AURAS UN TRAVAIL ET MOI J'AURAI UN TOIT SUR LA TÊTE
© 1981 PAWS, INC. All Rights Reserved.

MAIS, JON POURRAIT SE MÉFIER SI JE CHASSE TOUJOURS LA MÊME SOURIS
JIM DAVIS
10-15

JE PORTERAI DIFFÉRENTES PERRUQUES
TU AS PENSÉ À TOUT

GARFIELD! UNE SOURIS!
JIM DAVIS
10-16

SOURIS, TU NE ME FACILITES PAS LA TÂCHE
JE SUIS TROP GAVÉE POUR COURIR
© 1981 PAWS, INC. All Rights Reserved.

SI ON COURAIT LÀ-BAS MANGER TOUTE LA NOURRITURE?
MON PROPRIO NE NOUS LAISSERA PAS FAIRE
JIM DAVIS
10-17

ALORS, TUONS-LE

CE N'EST PAS BRILLANT DE MANGER LA MAIN QUI TE NOURRIT
PUIS-JE GRIGNOTER LES ORTEILS QUI SORTENT DE SES CHAUSSETTES?
© 1981 PAWS, INC. All Rights Reserved.

GARFIELD®

AROOOOOOU

GRRR
LA FERME, CHAT STUPIDE

GRRR
TU LA FERMES OU JE VAIS TE LA FERMER
JIM DAVIS

BÂTON ET PIERRES POURRAIENT ME BRISER LES OS, MAIS, JAMAIS LES MOTS NE ME BLESSERONT
© 1981 PAWS, INC. All Rights Reserved.

DICTIONNAIRE
10-25

JIM DAVIS
GARFIELD
10-19

FOOM!
GARFIELD
© 1981 PAWS, INC. All Rights Reserved.

TU SAIS QUE C'EST LUNDI QUAND TU DÉCOUVRES UN PÉTARD DANS TON PETIT-DÉJEUNER
GARFIELD

LES CHATS ONT UN EXTRAORDINAIRE POUVOIR DE PERCEPTION. JE SENS UNE PRÉSENCE MALÉFIQUE DANS CETTE PIÈCE
JIM DAVIS
10-20

DISONS PRÉSENCE STUPIDE
© 1981 PAWS, INC. All Rights Reserved.

JIM DAVIS
10-21
PICK PICK

© 1981 PAWS, INC. All Rights Reserved.
PICK PICK

BON, BON. QUE SE PASSE-T-IL ICI?
APPELONS ÇA UN TIC NERVEUX
PICK

JIM DAVIS
SCRATCH
SCRATCH
SCRATCH

SCRATCH
SCRATCH

© 1981 PAWS, INC. All Rights Reserved.
GARE!
10-22

JE NE DIRAIS PAS QUE TU ES GROS, GARFIELD, MAIS SI TU FAISAIS UN RÉGIME, ON POURRAIT NOURRIR DEUX PAYS PAUVRES
GARFIELD
10-23

5-4-3-2-1
JIM DAVIS

GARFIELD
© 1981 PAWS, INC. All Rights Reserved.

CLICK
ARRGH!
JIM DAVIS

DÉSOLÉ, GARFIELD
J'APPRÉCIERAIS QUE TU ME PRÉVIENNES
© 1981 PAWS, INC. All Rights Reserved.
10-24

GARFIELD®

JIM DAVIS
11-1

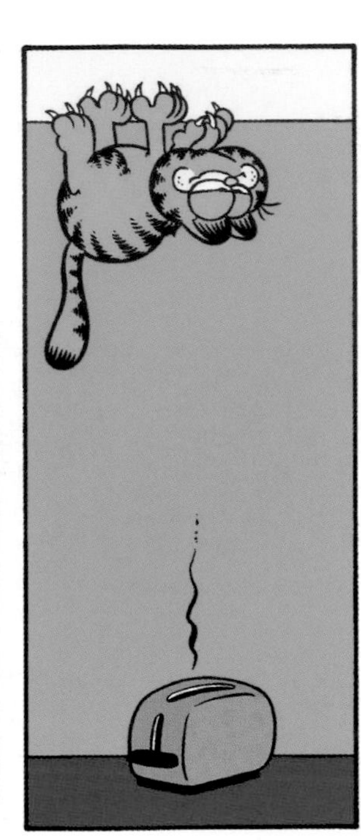

CHUNG!
© 1981 PAWS, INC. All Rights Reserved.

Z
JIM DAVIS
10-26

Z

Z
© 1981 PAWS, INC. All Rights Reserved.

Z
JIM DAVIS
10-27

TU SAIS QUE C'EST LUNDI QUAND TU TE RÉVEILLES ET QUE C'EST MARDI
© 1981 PAWS, INC. All Rights Reserved.

GARFIELD
JIM DAVIS
10-28

UN PAS DE PLUS ET JE METS CETTE LANGUE DANS UNE ATTELLE
GARFIELD

IL FAUT PARLER LEUR LANGAGE
GARFIELD
© 1981 PAWS, INC. All Rights Reserved.

CERTAINS DISENT QUE JE SUIS MÉCHANT, MAIS ILS N'ONT PAS CONNU MON ONCLE NICK. IL POUVAIT MANGER UN POULET ENTIER

MAIS ONCLE NICK N'ÉTAIT PAS TRÈS FUTÉ. UN JOUR IL A SAUTÉ SUR UNE AUTRUCHE PAS ERREUR
JIM DAVIS

SES DERNIERS MOTS FURENT : « C'EST LE PLUS GROS POULET QUE J'AIE JAMAIS VU »
10-29
© 1981 PAWS, INC. All Rights Reserved.

JE SUIS PRIS! PEUT-ÊTRE DEVRAIS-JE PASSER LE RESTE DE MA VIE AU LIT!
JIM DAVIS
10-30

POP!

ZUT
© 1981 PAWS, INC. All Rights Reserved.

OUF, QUELLE NUIT!
JIM DAVIS
10-31

N'EN RAJOUTE PAS, GARFIELD
© 1981 PAWS, INC. All Rights Reserved.

GARFIELD®

D'UNE MINUTE À L'AUTRE, GARFIELD VA VENIR ME RÉVEILLER POUR LE PETIT-DÉJEUNER
11-8
JIM DAVIS

IL ME TIENDRA LES YEUX OUVERTS POUR VOIR SI JE SUIS ÉVEILLÉ

PUIS, IL FERA DES CLAQUETTES SUR MA TÊTE

ENSUITE, IL M'ÉCRASERA LA POITRINE ET ME SOUFFLERA AU VISAGE JUSQU'À CE QUE JE ME LÈVE

O.K.! O.K.!

QU'EST-CE QUE J'AI FAIT?

BARK
BARK
BARK
BARK
JIM DAVIS
11-2

JE HAIS LES LUNDIS
© 1981 PAWS, INC. All Rights Reserved.

JON AURAIT-IL ACHETÉ UN NOUVEAU PANTALON?
JIM DAVIS

OUI, PARFAITEMENT
11-3

AUCUN POIL DE CHAT
© 1981 PAWS, INC. All Rights Reserved.

GARFIELD! JE NE SAVAIS PAS QUE LES CHATS POUVAIENT JOUER DE LA GUITARE
JIM DAVIS
11-4

BIEN SÛR, LES CHATS SONT DES GUITARISTES NÉS

NOUS AVONS CE QU'IL FAUT
© 1981 PAWS, INC. All Rights Reserved.

JIM DAVIS
11-5

© 1981 PAWS, INC. All Rights Reserved.

YOUPPI! UNE PIZZA!
JIM DAVIS
11-6

EUH, OH

BON, QUI EST LÀ-DEDANS?
PERSONNE RIEN QUE NOUS LES ANCHOIS
© 1981 PAWS, INC. All Rights Reserved.

JIM DAVIS
TAP TAP TAP TAP TAP TAP TA
© 1981 PAWS, INC. All Rights Reserved.

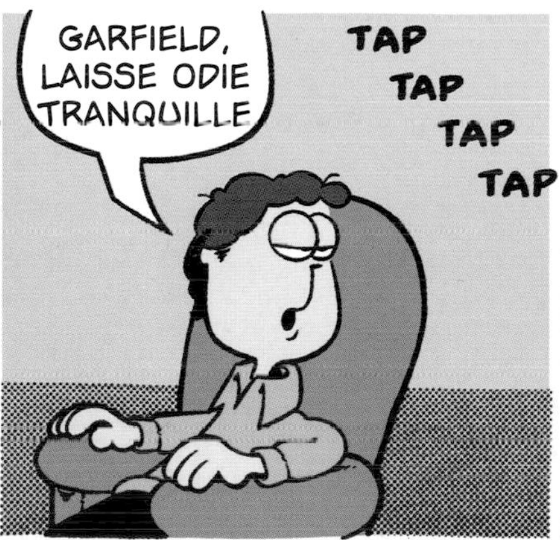
GARFIELD, LAISSE ODIE TRANQUILLE
TAP TAP TAP TAP

UN GARS A BIEN LE DROIT DE S'AMUSER UN PEU
AP TAP TAP TAP TAP TAP
11-7

GARFIELD®

HA, HA, O.K., ODIE
JIM DAVIS

VOICI UN STEAK
11-15

ZIP!

OH, D'ACCORD, GARFIELD

VOICI DES ŒUFS ET DU BACON

SPLAT!

REGARDE, GARFIELD, M'MA T'A TRICOTÉ UN PULL
JIM DAVIS 11-9

JE N'AI JAMAIS AIMÉ TA MÈRE
© 1981 PAWS, INC. All Rights Reserved.

JIM DAVIS
11-10

© 1981 PAWS, INC. All Rights Reserved.

OH, GARFIELD
JIM DAVIS

QU'EST-IL ARRIVÉ À MES BONBONS AU CARAMEL?
11-11

DE B'AGGUZE BAS
© 1981 PAWS, INC. All Rights Reserved.

REGARDE CE MAGNIFIQUE COUCHER DE SOLEIL, GARFIELD

JE SUIS CONTENT DE POUVOIR PARTAGER ÇA AVEC TOI
11-12 © 1981 PAWS, INC. All Rights Reserved.

TU AS QUELQUE CHOSE DANS L'ŒIL?
OUI, UN GRAIN D'ÉMOTION
JIM DAVIS

QU'Y A-T-IL DE SI SPÉCIAL DANS LA RELATION ENTRE UN HOMME ET SON ANIMAL, GARFIELD?

SERAIT-CE QU'ON A TOUS BESOIN DE QUELQU'UN QUE L'ON PEUT TRAITER DE HAUT?
POSSIBLE

© 1981 PAWS, INC. All Rights Reserved.
JIM DAVIS
MAIS ALORS QU'EST-CE QUE ÇA T'APPORTE À TOI?
11-13

TU SAIS, GARFIELD...
© 1981 PAWS, INC. All Rights Reserved.
JIM DAVIS

JE ME DEMANDE CE QUE LES GENS FERAIENT SANS LES CHATS
ILS SE FLÉTRIRAIENT ET MOURRAIENT, JE SUPPOSE
11-14

JE ME DEMANDE CE QUE LES CHATS FERAIENT SANS LES GENS
QUI NETTOIERAIT NOTRE LITIÈRE?

GARFIELD®

JIM DAVIS

JE, GARFIELD LE CHAT, PRENDS LA RÉSOLUTION DE RESTER AU LIT TOUTE LA SEMAINE
JIM DAVIS
11-16

BIEN SÛR, LA CHOSE POURRAIT S'AVÉRER DIFFICILE À CERTAINS MOMENTS...

MAIS AVEC MA VOLONTÉ ET MA DÉTERMINATION, JE DEVRAIS RÉSISTER À LA TENTATION DE ME LEVER
© 1981 PAWS, INC. All Rights Reserved.

PASSER TOUTE UNE SEMAINE AU LIT N'EST PAS AUSSI FACILE QU'IL Y PARAÎT
JIM DAVIS
11-17

IL FAUT S'Y PRÉPARER
© 1981 PAWS, INC. All Rights Reserved.

AS-TU APPORTÉ LES BOUCHÉES DU GOURMET, POOKY?

GARFIELD, VAS-TU RESTER AU LIT TOUTE LA SEMAINE?
OUAIS
11-18
JIM DAVIS

LE DÎNER EST SERVI

JE CROIS QUE JE VAIS PLEURER
© 1981 PAWS, INC. All Rights Reserved.

HÉ, GARFIELD...
PENSES-Y UN PEU
JIM DAVIS
11-19

COMMENT CROIS-TU POUVOIR RESTER AU LIT TOUTE LA SEMAINE TOUT EN VENANT DÎNER?
GARFIELD
© 1981 PAWS, INC. All Rights Reserved.

GARFIELD

HÉ, HÉ. REGARDEZ-MOI ÇA. GARFIELD A SON LIT ET SON GOÛTER. IL EST AU PARADIS DES CHATS. LES CHATS ONT DES PLAISIRS SI SIMPLES
GARFIELD
JIM DAVIS
11-20

GARFIELD
© 1981 PAWS, INC. All Rights Reserved.

C'ÉTAIT AMUSANT DE PASSER TOUTE UNE SEMAINE AU LIT
JIM DAVIS
11-21

MAIS J'AI ENVIE DE PLUS DE VARIÉTÉ QUE ÇA
© 1981 PAWS, INC. All Rights Reserved.

MAINTENANT, JE CROIS QUE JE VAIS PASSER TOUTE UNE SEMAINE DANS CE FAUTEUIL

GARFIELD®

FLICK
JIM DAVIS

AYIEEEEEE
© 1981 PAWS, INC. All Rights Reserved.

Z

Z
11-29

CAT

BAT
JIM DAVIS

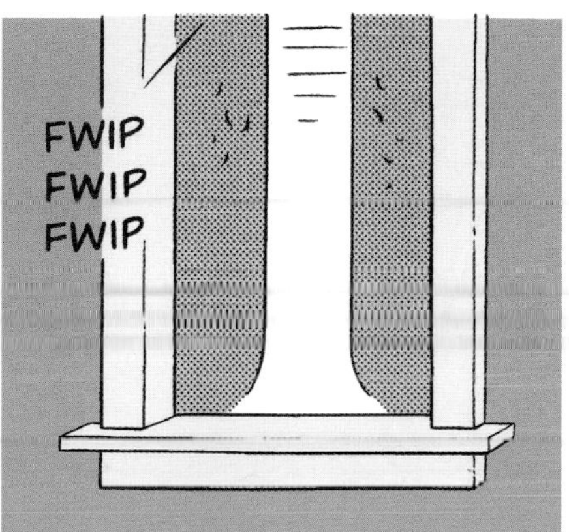
FWIP
FWIP
FWIP

JE COMMENCE À REDOUTER LES LUNDIS
© 1981 PAWS, INC. All Rights Reserved.
11-23

ME VOICI DONC PRIS DANS LE STORE, LA BELLE AFFAIRE
JIM DAVIS

JE PEUX SUPPORTER LA DOULEUR ET L'HUMILIATION

CE QUI ME TUE, C'EST DE PERDRE MON AIR DE DIGNITÉ
© 1981 PAWS, INC. All Rights Reserved.
11-24

JIM DAVIS

© 1981 PAWS, INC. All Rights Reserved.
11-25

JE POURRAIS CRIER À L'AIDE
JIM DAVIS

MAIS JE NE LE SUPPORTERAIS PAS

LES MAUVAISES POSTURES NOUS EMBARRASSENT SEULEMENT QUAND QUELQU'UN NOUS VOIT
11-26
© 1981 PAWS, INC. All Rights Reserved.

JE VAIS TE SORTIR DE LÀ, GARFIELD
JIM DAVIS
11-27

MAIS J'AIMERAIS Y ARRIVER SANS BRISER LE STORE

C'EST LE GENRE DE CHOSE QUI VOUS FAIT COMPRENDRE OÙ VOUS VOUS SITUEZ DANS LA VIE
© 1981 PAWS, INC. All Rights Reserved.

VOILÀ! UN CHAT SORTI DU STORE
JIM DAVIS

INUTILE DE ME REMERCIER, GARFIELD

11-28
© 1981 PAWS, INC. All Rights Reserved.

GARFIELD

GARFIELD
JIM DAVIS
12-6

QUE FAIS-TU AU LIT, GARFIELD? IL N'EST MÊME PAS MIDI
POUR MOI, CETTE JOURNÉE EST TERMINÉE
© 1981 PAWS, INC. All Rights Reserved.

ME VOICI, NERMAL. LE PLUS MIGNON CHATON DU MONDE!
JIM DAVIS
11-30

QU'EST-CE QUI TE FAIT PENSER QUE TU ES SI MIGNON?
C'EST SIMPLE, TOUS LES CHATONS SONT MIGNONS JUSQU'À CE QU'ILS GRANDISSENT ET DEVIENNENT LAIDS

JE N'AVAIS PAS BESOIN D'ENTENDRE ÇA
JE DIS CE QUI EN EST, VIEILLE TRUFFE
© 1981 PAWS, INC. All Rights Reserved.

JE ME DEMANDE COMMENT NERMAL PEUT RESTER SI MIGNON APRÈS TOUTES CES ANNÉES
12-1
JIM DAVIS

PAT
PAT
PAT

C'EST BIEN CE QUE JE PENSAIS
© 1981 PAWS, INC. All Rights Reserved.

JIM DAVIS
12-2

EST-CE QUE JE PEUX JOUER AUSSI?
BIEN SÛR CRAMPONNE-TOI

© 1981 PAWS, INC. All Rights Reserved.

VAS-Y, DORS SUR MON OURSON!
Z
JIM DAVIS
12-3

Z

QUE J'AIMERAIS POUVOIR EN FAIRE AUTANT
Z

GARFIELD, J'AI L'IMPRESSION QUE TU N'AIMES PAS NERMAL
JIM DAVIS
12-4

ABSURDE, J'ADORE NERMAL

J'ADOOORE NERMAL!
EUH... EUH, GARFIELD
© 1981 PAWS, INC. All Rights Reserved

HÉ, NERMAL. TU VEUX FAIRE LA COURSE JUSQU'À LA PORTE?
12-5
JIM DAVIS

© 1981 PAWS, INC. All Rights Reserved.

T'AS GAGNÉ
SLAM

GARFIELD®

LE TEMPS S'ÉCOULE LENTEMENT LE WEEK-END
JIM DAVIS
12-13

UNE MOUCHE AVANCE LENTEMENT SUR LE MUR

UNE DE CES MOUCHES CHATOYANTES D'AUTOMNE

LE TEMPS S'ÉCOULE LENTEMENT LE WEEK-END

C'EST BIEN MON JON. IL A ÉLEVÉ L'ENNUI À UNE FORME D'ART

HÉ, GARFIELD. PASSONS CETTE JOURNÉE À CÉLÉBRER TOUT CE QU'IL Y A DE BON DANS L'HUMANITÉ
12-7
JIM DAVIS

ON VA FAIRE UNE B.A., S'ARRÊTER POUR HUMER LE PARFUM D'UNE FLEUR ET COMPLIMENTER UN AMI

C'EST BEAUCOUP EXIGER D'UN CHAT AU SAUT DU LIT
© 1981 PAWS, INC. All Rights Reserved.

OH, QUELLE JOLIE CRAVATE!
JIM DAVIS

QUI ÊTES-VOUS? UNE ESPÈCE DE ZIGOTO, OU QUOI ENCORE?
© 1981 PAWS, INC. All Rights Reserved.

IL Y A DES GENS PAS TRÈS GENTILS, N'EST-CE PAS, GARFIELD?
BIENVENUE SUR LA PLANÈTE TERRE, JON
12-8

QUELLE EST TA PHILOSOPHIE DE LA VIE, GARFIELD?
JIM DAVIS
12-9

LE MONDE ENTIER EST UNE BOÎTE DE BISCUITS OÙ LES HOMMES ET LES FEMMES NE SONT QUE DES MIETTES

ET TOI, TU ES QUOI LÀ-DEDANS?
MOI, JE SUIS UNE BRISURE DE CHOCOLAT
© 1981 PAWS, INC. All Rights Reserved.

N'EST-CE PAS UN MATIN BÉNI, GARFIELD?
LA BELLE GROSSE AFFAIRE FUMANTE
JIM DAVIS
12-10

TU SAIS, GARFIELD. J'AI L'IMPRESSION QUE TU ES UN CHAT AVEC UN PEU DE CYNISME EN LUI
C'EST PAS VRAI!

JE SUIS UN CYNIQUE ENROBÉ D'UN PETIT PEU DE CHAT
© 1981 PAWS, INC. All Rights Reserved.

IL SE PEUT QUE JON AIT RAISON. PEUT-ÊTRE SUIS-JE TROP CYNIQUE. PEUT-ÊTRE QUE LE MONDE N'EST PAS AUSSI STUPIDE QUE JE LE PENSE
JIM DAVIS
12-11

© 1981 PAWS, INC. All Rights Reserved.

NON

T'ES BEAU, GARFIELD
JIM DAVIS

TU PARAIS ENCORE BIEN, VIEUX CHENAPAN
12-12

UNE IMAGINATION ACTIVE EST UNE CHOSE MERVEILLEUSE
© 1981 PAWS, INC. All Rights Reserved.

GARFIELD®

EUH, OÙ LES OISEAUX PEUVENT-ILS BIEN ÊTRE?
© 1981 PAWS, INC. All Rights Reserved.

J'ESPÉRAIS PRENDRE UNE COLLATION AVANT LE LUNCH
JIM DAVIS
12-20

ILS DOIVENT ÊTRE AILLEURS

TANT PIS, JE REVIENDRAI PLUS TARD

RESPIRE!

EN FAIT, DOCTEURE, MON CHAT N'A PAS BESOIN D'UN EXAMEN MÉDICAL
JIM DAVIS

C'ÉTAIT JUSTE UNE EXCUSE POUR VOUS REVOIR
12-14

GARFIELD! JE NE SAVAIS PAS QUE TU PENSAIS À MOI
NON... MOI, DOC... MOI
© 1981 PAWS, INC. All Rights Reserved.

DITES-MOI, DOC, SI NOUS ÉTIONS MARIÉS
JIM DAVIS

VOUS APPELLERAIT-ON MME JON ARBUCKLE, OU DOCTEURE ARBUCKLE, OU MME LA DOCTEURE LIZ ARBUCKLE, OU...
12-15
© 1981 PAWS, INC. All Rights Reserved.

JE DÉTESTE VOIR PLEURER UNE DOCTEURE

QUE DIRIEZ-VOUS DE SORTIR AVEC MOI, LIZ?
ET QU'EST-CE QUE VOUS SUGGÉREZ?
JIM DAVIS
12-16

J'AIMERAIS SIMPLEMENT VOUS TENIR LA MAIN ET VOUS REGARDER DANS LES YEUX
© 1981 PAWS, INC. All Rights Reserved.

ÇA ME PLAÎT
C'EST INOUÏ LES PROGRÈS QU'UN GARS PEUT FAIRE QUAND IL CESSE DE SE DONNER DES AIRS

CE SOIR, JE SORS SEUL AVEC LIZ. TU RESTES À LA MAISON, GARFIELD
JIM DAVIS
12-17

OÙ EST MA CRAVATE PRÉFÉRÉE?

ET SI TU M'ACCOMPAGNAIS, VIEUX FRÈRE?
JE VIENS AVEC TOI, ET LA CRAVATE SERA SAUVE
© 1981 PAWS, INC. All Rights Reserved.

BONSOIR, LIZ. J'AI ORGANISÉ UNE FABULEUSE SOIRÉE POUR NOUS
JIM DAVIS 12-18
© 1981 PAWS, INC. All Rights Reserved.

NOUS IRONS DÎNER, PUIS AU CINÉMA, ET BIEN D'AUTRES CHOSES DONT JE VOUS ÉPARGNE LES DÉTAILS

VOUS AVEZ AMENÉ LE CHAT
IL FAIT PARTIE DES DÉTAILS QUE JE VOUS ÉPARGNAIS

MERCI POUR CETTE CHARMANTE SOIRÉE, JON
JIM DAVIS

BISOU
12-19
© 1981 PAWS, INC. All Rights Reserved.

YA TA TA TA YA TA TA
L'AMOUR HUMAIN EST... TELLEMENT GLANDULAIRE
CLICK

GARFIELD®

LA MÈRE DE JON SAIT EXACTEMENT COMMENT HUMILIER QUELQU'UN

CETTE LAINE QUI DÉPASSE EST LA CLÉ QUI ME SORTIRA DE CE TRICOT
JIM DAVIS
12·27

© 1981 PAWS, INC. All Rights Reserved.

LIBRE! JE SUIS LIBRE!

CLICK
CLICK
CLICK
OH, M'MA

JE SUIS LE GENRE DE PERSONNE QUI DOIT VOIR POUR CROIRE
12-21
JIM DAVIS

© 1981 PAWS, INC. All Rights Reserved.
OUAIS, NEWTON AVAIT RAISON

OH NON! POOKY! OÙ EST PASSÉ TON ŒIL?
12-22
JIM DAVIS

NE T'EN FAIS PAS, VIEUX FRÈRE, JE VAIS T'ARRANGER ÇA

IL N'Y A RIEN DE PLUS PATHÉTIQUE QU'UN OURSON SANS PERCEPTION DE PROFONDEUR
© 1981 PAWS, INC. All Rights Reserved.

QU'AIMERAIS-TU POUR NOËL, GARFIELD?
LA PAIX DANS LE MONDE
12-23
JIM DAVIS

TU PARLES SÉRIEUSE-MENT?
POURQUOI PAS UN NOUVEAU BOUTON POUR POOKY?
© 1981 PAWS, INC. All Rights Reserved.

ET VOICI LE GOÛTER DU BON VIEUX PAPA NOËL
12-24
JIM DAVIS

© 1981 PAWS, INC. All Rights Reserved.

HO HO HO

L'ESPRIT DE NOËL
12-25
JIM DAVIS

CE N'EST PAS D'OFFRIR, CE N'EST PAS DE RECEVOIR

C'EST LA JOIE DES FÊTES DANS L'AMOUR ET L'AMITIÉ
©1981 PAWS, INC. All Rights Reserved.

QUEL BEAU NOËL. J'AI REÇU UN ŒIL POUR MON OURSON, DU SABLE POUR MA LITIÈRE, ET UNE NOUVELLE COUVERTURE
12-26
JIM DAVIS

C'EST ÇA LE BONHEUR

LA SÉCURITÉ
© 1981 PAWS, INC. All Rights Reserved.

GARFIELD®

LÈVE-TOI ET MARCHE, VIEUX FRÈRE
Z

DEHORS, UNE BELLE JOURNÉE TOUTE NEUVE NOUS ATTEND, AVEC DE NOUVEAUX DÉFIS

MANGE UN PEU
GARFIELD
JIM DAVIS

BOIS UN PEU
GARFIELD

YÉ, GARFIELD? SORS DE LÀ ET VIS TA VIE À FOND DE TRAIN! À L'ATTAQUE, MON GARS!

RIEN DE PLUS DIFFICILE QUE DE DÉMARRER UN CHAT
© 1982 PAWS, INC. All Rights Reserved.
1-3-82

JE ME DEMANDE QUEL JOUR NOUS SOMMES
JIM DAVIS
12·28

JE TE METS AU RÉGIME AUJOUR-D'HUI, GARFIELD

ALLÔÔÔ, LUNDI
© 1981 PAWS, INC. All Rights Reserved.

GARFIELD! TU NE PEUX PAS MANGER CE BONBON, C'EST TROP ENGRAISSANT
12·29
JIM DAVIS

A CE PRIX-LÀ, ÇA NE DOIT PAS CONTENIR TELLEMENT DE CALORIES
© 1981 PAWS, INC. All Rights Reserved.

J'AI DÉCOUVERT LE SECRET POUR FAIRE UN RÉGIME SANS SOUFFRIR
JIM DAVIS
12·30

NE PAS BOUGER UN MUSCLE

NE PAS MANGER UNE CALORIE, NE PAS BRÛLER UNE CALORIE
© 1981 PAWS, INC. All Rights Reserved.